CUENTOS CORTOS, MUY CORTOS
Conviértete en dueño de tu propia vida

Musa

EDIQUID

CUENTOS CORTOS, MUY CORTOS
Conviértete en dueño de tu propia vida
© Musa

Editado por: Corporación Ígneo, S.A.C.
para su sello editorial Ediquid
Av. Arequipa 185 1380, Urb. Santa Beatriz. Lima, Perú
Primera edición, agosto, 2023

ISBN: 978-612-5112-29-3
Impresión bajo demanda

Hecho el Depósito Legal en la Biblioteca Nacional del Perú N° 2023-07106
Se terminó de imprimir en agosto del 2023 en:
ALEPH IMPRESIONES SRL
Jr. Risso Nro. 580 Lince, Lima

www.grupoigneo.com
Correo electrónico: contacto@grupoigneo.com
Facebook: Grupo Ígneo | Twitter: @editorialigneo | Instagram: @grupoigneo

Colección: Nuevas Voces

Contenido

Imparcial 9

El jardín 13

Un alma caritativa 17

El aniversario 21

Una victoria pírrica 23

La fábrica de sueños 25

Despertar 31

Las olvidadas 35

    En una elegante casa de Polanco 38

    En el asilo 39

    Rosaura 45

El regreso 47

Las llaves 49

El pacto 55

    De amor y desamor 57

    El viejo 59

    A mi madre 60

Gracias a Dios por todas las bendiciones derramadas sobre mí.
Gracias a mis hijos y nietos por ser una razón
para seguir adelante.
Gracias a mis amigas sin las cuales no estoy completa

Imparcial

Levantó lentamente la cara y dirigió la mirada buscando el rostro de quien acababa de responder al nombre de David.

—¿Eres tú David Estévez? —preguntó, tratando de que la voz no delatara su nerviosismo.

—Sí, maestra —le respondió el muchacho. Un joven de 15 años, de cabello rizado y ojos verdes, que de inmediato le hicieron evocar un pasado que creía olvidado para siempre.

—Bien, puedes sentarte.

El resto de la semana lo pasó como en una bruma, no podía concentrarse en nada. David, David Estévez... Cuán doloroso le resultaba volver a pronunciar ese nombre. No necesitó preguntarle nada más al muchacho, sabía bien de quién se trataba. ¿Por qué, después de tantos años, tenía que aparecer nuevamente en su vida? No era justo.

Volvieron a pasar por su mente escenas del pasado. Su noviazgo, los planes para la boda y, luego, el día en que David se recibió de médico —maldito día—, pensó que era la ocasión perfecta para que anunciaran su compromiso matrimonial. Todo el pueblo lo esperaba. Él se fue a hacer su servicio social a otra ciudad. Pasaron semanas y luego meses. Sus cartas al principio eran largas y llenas de amor, diciéndole cuánto la extrañaba, pero, poco a poco, se tornaron más impersonales e infrecuentes. Ella se decía a sí misma que él estaba muy ocupado y esa era la razón por la cual no escribía más seguido.

Cuando sus amigas le enseñaron el recorte de periódico donde aparecía él, del brazo de su prometida, no podía creerlo. ¿Por qué la había traicionado? ¿Qué había hecho ella para merecer esto? ¿No fue acaso ella la que más lo ayudó a que continuara su carrera y se recibiera? Se pasó muchas noches ayudándole con su tesis y conformándose con no salir a ningún lado, pues él tenía que estudiar.

No podría tolerar la burla de sus amigas, ni la lástima que inspiraba a familiares y, en especial, a sus padres. Huyó del pueblo que la ahogaba y consiguió un empleo en la capital. Era una buena maestra y no tuvo dificultad para trabajar en una conocida escuela. Desde ese momento, el magisterio se convirtió para ella en lo más importante en su vida. Era siempre la más puntual, la más dedicada. Preparaba sus clases hasta el mínimo detalle. Sus alumnos la admiraban y estimaban. Se había ganado a pulso el título de «La Imparcial», pues trataba a todos los alumnos por igual y, aunque era muy estricta, todos pedían estar en su clase; sabían que no solamente los prepararía mejor, sino que a todos los trataría con la misma justicia. Habían pasado quince años, quince largos años desde que salió de su pueblo.

Pasaron los meses. Ella continuó dando sus clases. Trataba de ser la misma de antes y, aparentemente, lo había conseguido, pero un acontecimiento vino nuevamente a turbar su ya resquebrajada tranquilidad. La llamó el director para explicarle que un conocido instituto otorgaba una beca para el alumno más destacado de tercero de secundaria. Era en verdad una espléndida oportunidad. Se le pidió que fuera ella quien designara al mejor de su clase.

Al principio, no le dio mucha importancia al asunto. Revisaría cuidadosamente las calificaciones y nombraría al becado. Sin embargo, el destino, nuevamente, le tenía reservada una sorpresa. Había, de hecho, dos alumnos destacados en su grupo: uno era Enrique y el otro... el otro era David. Trató de hablar con el director para que fuera él quien decidiera, pero no tuvo éxito su gestión. Tenía que ser ella. ¿Quién mejor que ella, que llevaba tantos años en la escuela y que había sido imparcial, quien designara al ganador?

Por primera vez, faltó a la escuela. No se sentía bien. El dolor de cabeza la agobiaba y no sentía fuerzas para nada. Pasaron dos semanas y le urgieron una respuesta. No podía postergar más el momento, debía decidirse. Los dos muchachos no solamente eran igualmente estudiosos, sino que ambos tenían una agradable personalidad y una actitud positiva, cooperaban con todas las actividades del grupo y no le habían dado ningún problema. Tenía que actuar con tranquilidad sin permitir que sus sentimientos intervinieran en su decisión.

No podía echar por la ventana tantos años de amor a la enseñanza y a la justicia. Su conducta siempre había sido ejemplar, pero, por otro lado, ella no había perdonado. ¿Qué mejor oportunidad de vengarse que esta? ¿Quién la había condenado a esta vida tan solitaria? ¡Qué diferente hubiera sido todo si él no la hubiera abandonado! Probablemente, estaría viviendo en una cómoda casa y tendría hijos. Sí, hijos con los que siempre soñó.

No pudo conciliar el sueño en toda la noche. Sin embargo, al día siguiente llegó a la escuela más temprano que de costumbre. Pálida, serena, había tomado una decisión.

El jardín

Lo sabía, lo sabía. Cómo y cuándo había llegado ese pensamiento, era un misterio, pero tenía la certeza de que iba a suceder.

Desde que construyeron la casa, empezó a tener una comunicación muy especial con las plantas y flores del jardín. Fue amor a primera vista.

No recordaba haber tenido ni amor ni interés por las plantas cuando era niña. En su casa, solo había un pequeño jardín en la parte de atrás, con un pedazo de pasto y algunas plantas. Nunca le llamó la atención. Aquí, sin embargo, se dedicó con entusiasmo al cuidado de este. Era un gran terreno de roca volcánica que se había formado en el Pedregal, debido a la erupción del volcán Xitle. De hecho, casi todos los jardines de la zona estaban formados sobre este tipo de roca, que adquiría caprichosas formas y en donde las flores encontraban un lugar ideal para desarrollarse.

La comunicación con las plantas empezó de recién casada. Se abrió un panorama nuevo ante sus ojos, y, sin saber nada de jardinería, empezó a dedicar gran parte de su tiempo a su cuidado. En ese momento, se dio cuenta de que todo cuanto sembraba crecía y florecía.

Poco a poco, aquel terreno, que no tenía más que flores silvestres, empezó a adquirir otra personalidad.

Existía un entendimiento mutuo entre las flores y ella, y, a base de observación, había aprendido muchas cosas. Por ejemplo, ya sabía que en noviembre el jardín se iluminaba con rosas de diferentes colores que ella había sembrado entre las rocas.

Había una rosa de un color rojo oscuro llamada «sangre de Juárez», rosas amarillas, blancas. En fin, una gran variedad.

La mexicanísima nochebuena, que en octubre empezaba a dar flores, justo para su cumpleaños. Los malvones floreaban todo el año y era muy fácil sacar piecitos y sembrarlos en macetas o en rincones. Había también alcatraces bellos y armoniosos, que parecían sentir cuando ella estaba triste, pues, de pronto, se doblaban con gracia, como si ya no tuvieran fuerzas para seguir, pero siempre había un retoño u otra planta para alegrarla. En marzo, una vez que se podaban las nochebuenas y se colocaban los palos de las mismas en cubetas con agua por varias semanas, eran reemplazadas por buganvilias mismas, que florecían con una fuerza increíble. Había de varios colores: la clásica morada, la fucsia, otra que parecía dorada. Total, un paisaje de color.

Solía sentarse muy de mañana en un pequeño montecito que quedaba escondido a la vista de los demás. Lo llamaba «Mi refugio». Allí podía contemplar los colibríes revoloteando cerca del calistemo, cuyas flores le parecían cepillos para lavar biberones.

También había plantas espontáneas. Del fresno que tenían sus vecinos, llegó a tener más de quince árboles, y ni se diga la jacaranda, esta parecía una enorme sombrilla que daba justo en su jardín. De esta también había habido un sinfín de retoños por varios rincones. Conoció que los chiles verdes, que tenía en una maceta, floreaban y daban frutos una vez por año para luego secarse y volver a retoñar al año siguiente, igual que la yerbabuena.

El jardín contaba con varios árboles frutales: dos naranjos, una lima, dos limones, un granado que florecía precisamente en marzo y que daba hermosas granadas en agosto, justo para preparar los clásicos chiles en nogada. Las flores del granado eran de un naranja intenso, casi fluorescente, y las flores de los limones eran azahares que, en determinada época, parecían copos de nieve de lo mucho que floreaban.

No necesitaba hablar con las flores. Ellas ya la conocían y el mutuo amor que se tenían se reflejaba en los vivos colores que ofrecían.

Pasaron los años y una mañana despertó con una enorme sensación de angustia que no podía explicar. Salió al jardín, pero no consiguió calmarse. Notó que todo empezaba a secarse, no quedaba más que una que otra flor marchita. El liquidámbar, que había sembrado cuando solo era una pequeña varita y que había llegado a alcanzar grandes alturas, se estaba quedando sin hojas. El pasto se veía seco y amarillo, las hojas de los árboles lo habían cubierto casi por completo. Esto no era lógico: era marzo, mes de la primavera. Sin embargo, había una explicación para esto y ella, en el fondo, lo sabía, aun cuando no quisiera reconocerlo.

Sabía que era inútil tratar de que su jardín volviera a la normalidad. El momento que ella tanto había temido, había llegado.

Ambos, ella y el jardín, se apagaron al mismo tiempo.

Un alma caritativa

Su vida transcurría entre juntas, reuniones con amigas, visitas a hospitales y asilos... En fin, que Nora se sentía realizada, pues, aunque era algo frívola, estaba convencida de que hacía el bien al prójimo y eso la satisfacía.

Cierta mañana en que se sentía más contenta que de costumbre, de regreso de la escuela de su hijita, observó a un pobre pepenador sentado en la banqueta de una esquina. El hombre estaba sucio y con la barba crecida. Hacía frío y so lo unos harapos le cubrían. Su aspecto era tan miserable que ella no resistió la tentación de bajarse del carro y dejarle algunos pesos. El hombre apenas la miró. Ella continuó su camino, satisfecha de sí misma.

Pasaron los días y nuevamente vio al mendigo y le volvió a dejar unas monedas. «Mañana —pensó— le traeré algo de ropa, pues está haciendo frío». Y así lo hizo. Los obsequios al miserable hombre se convirtieron en rutinarios. Diariamente, le llevaba alguna cosa que le podía hacer falta. El hombre ya la reconocía y, cuando se acercaba su carro, se incorporaba para recibir los obsequios y hasta musitaba un «gracias, señora».

Llegó el tiempo de vacaciones y tanto ella como su esposo e hija se fueron a un lugar de la república durante varias semanas. Cuando volvieron a iniciar las clases, nuevamente encontró al pepenador, pero ahora la mirada de este ya no era triste, ni de agradecimiento, parecía más bien que estaba disgustado. «Son ideas mías —pensó ella—. No puede estar disgustado, lo que pasa es que habrá creído que me había olvidado de él. Mañana volveré a obsequiarle dinero». Durante varios días, ella quiso resarcir su ausencia colmándolo de ropa cómoda, una linterna y cuanto estuvo a su alcance.

Terminó el año escolar y su hija cambió de escuela. Su ruta ya era otra, muy diferente al camino por donde se encontraba el pepenador, pero cuál no sería su sorpresa al ver al hombre en la esquina de su casa. Su mirada tenía un aire desafiante. Ya no había nada más que regalarle. Después de todo, no eran ricos, y ya su marido le había reprochado que se deshiciera de ropa que todavía podía usar. Salía de prisa a la escuela y le daba unas monedas, pero al regreso lo volvía a encontrar allí, en el mismo lugar, sin decir palabra, sin moverse, solo mirándola con enojo.

Pasaron los días y el hombre ya no se separaba de la casa, no le hablaba, no le pedía nada, solo estaba allí, día tras día, noche tras noche, hora tras hora. Alarmada, pensó comentarle la situación a su marido, pero temió que se burlara de sus inquietudes. Empezó a preocuparse seriamente. Se pasaba entreabriendo la puerta, atisbando por las ventanas y siempre, siempre estaba él allí. Un espantoso miedo se empezó a apoderar de ella. Temía que se llevara a su hija, que le hiciera daño a su marido, que este hombre entrara a la casa. Recomendó a la servidumbre no abrir para nada la puerta y ella personalmente se encargaba de todas las compras de la casa. Su miedo iba en aumento y ya no importaba lo que le diera al hombre, este no se iba ni decía nada.

No podía dormir, estaba irritable y brincaba por cualquier cosa. Su miedo iba en aumento y ya no podía pensar con calma.

Cierta noche, cuando todos estaban dormidos, se puso a buscar en la bodega algo importante que necesitaba. Pasó un buen rato en la cocina, cuando todo era tranquilidad en la casa.

En la mañana, salió muy temprano, con una caja hermosa-
mente envuelta conteniendo un pastel. Presurosa, se la entregó
al hombre con la mejor de sus sonrisas y hasta le preguntó si no
tenía frío, y algunas otras cosas en cuya respuesta no se fijó.

Al día siguiente, entreabrió la puerta temerosa, pero no vio a
nadie. Tampoco se lo encontró en la esquina. No lo encontró ni
en la tarde ni en la noche. «Vaya —se dijo, soltando una sonora
carcajada—, después de todo, el problema había sido resuelto».

El aniversario

Había sido una ceremonia preciosa. La iglesia fue adornada como el día en que se casaron, hacía ya cincuenta años. Tanto los concurrentes como los festejados vistieron sus mejores galas. Sacaron a relucir alhajas que no habían usado en años, pieles, etc., y se arreglaron para la gran ocasión, el aniversario de los Ezquerra. Realmente, una ocasión inolvidable.

La misa fue muy emotiva, la iglesia adornada discreta, pero elegante, y el fervorín del padre fue realmente elocuente. La recepción para los familiares y amistades fue también muy vistosa: buena comida, buenos vinos, alegría...

Los hijos no habían escatimado en gastos. Todo era de buen gusto. Las mesas bellamente adornadas, con centros y velas. Los meseros atentos y serviciales. La música tenue, pero animada, y la cena, bueno, ese era renglón aparte. Habían contratado la mejor casa de banquetes de la ciudad y cada platillo (que eran alrededor de siete) era más sabroso y vistoso que el anterior

Ya bastante entrada la noche, regresó el matrimonio a su casa. Estaban cansados, pero los acontecimientos del día (la misa, la reunión de todos los hijos y nietos, el bullicio, la música y la alegría de la fiesta) continuaban aún dentro de ellos.

Se dispusieron a acostarse, se quitaron los trajes de ceremonia y se pusieron sus ropas de dormir. Después, se sentaron en una pequeña salita contigua a su recámara y empezaron a platicar y a hacer remembranzas. Había tanto de qué acordarse. Pasaron por sus mentes, como si hubiera sido el día anterior, el día en que se conocieron, el noviazgo, las peleas juveniles, reconciliaciones, los planes futuros y, después, el matrimonio, los hijos, los nietos. Toda una vida compartida de alegrías y penas, éxitos y fracasos. Así, continuaron por unas horas, hasta que la conversación empezó a adquirir otro tono. No se oían risas de alegría ni comentarios chuscos. Palabras duras empezaron a flotar en el aire. El rostro de él palideció. No podía dar crédito a lo que oía. Azorado, solo atinaba a balbucear. Ella hablaba y hablaba, lloraba, hacía reproches. «¿Cómo?», se dijo él, si habían pasado ya tantos años. No era posible que volviera a tocar ese tema. Era asunto del pasado, enterrado, olvidado. Había escuchado la amenaza de su esposa hacía muchos, muchos años, pero jamás había creído en ella.

Todos los vecinos se sorprendieron al día siguiente, cuando llegó un camión de mudanzas.

Una victoria pírrica

—Estoy harta, harta —le dijo Alicia a su amiga—. Ya me cansé de que todas las miradas se vuelvan siempre hacia él. Caramba, han pasado quince años y seguimos en lo mismo.

Alicia se refería a su esposo, Arturo, quien era un hombre extremadamente bien parecido y que, con el paso de los años, no solo seguía siendo atractivo, sino que las pocas canas que ya aparecían en las sienes lo hacían ver lo que las mujeres llamaban «interesante» Desde que se inició el noviazgo, empezó a darse cuenta de que todas las miradas se dirigían a él, tanto de hombres como de mujeres, pues a los primeros les daba envidia y deseaban ser como él, siempre bien vestido, delgado, elegante, sonriente, y a las mujeres pensaban que era el hombre mejor parecido que habían conocido.

—¿Y qué piensas hacer? ¿Divorciarte? Después de todo, siempre ha sido un marido cariñoso y sobre todo fiel. No te debes quejar, mejor busca una solución.

—Tienes razón, voy a buscarla.

Alicia se despidió de su amiga. Se sentía triste. Recordaba su noviazgo con Arturo, la boda, el nacimiento de los hijos. De pronto, una idea se le vino a la cabeza. De inmediato, llamó a su amiga y le dijo:

—Ya sé qué voy a hacer: tengo un plan que no puede fallar.

Al día siguiente, se dirigió a un mercado donde compró varios ingredientes y se puso a preparar un líquido de acuerdo a las instrucciones de la yerbera. Vació la mitad del champú que usaba su esposo y le añadió la preparación. A continuación, vio un anuncio donde impartían clases de alta cocina, y de inmediato se inscribió. Se dedicó a cocinar los más exquisitos platillos. Su esposo se cuidaba mucho. Hacía ejercicio diariamente, no se desvelaba, no tomaba bebidas alcohólicas, no fumaba.

Arturo se empezó a aficionar a la deliciosa comida de su casa. Se decía a sí mismo: «Bueno, hoy como y mañana me pongo a dieta». Esto no sucedió, por más fuerza de voluntad que tuviera, la comida y, sobre todo, los postres eran una tentación a la que sucumbía diariamente. Además, empezó a notar que el cabello se le caía en grandes cantidades. Cambió de champú en varias ocasiones, pero ninguno funcionaba. Había aumentado diez kilos y, como ahora su esposa servía la comida y el desayuno en la terraza (claro, en días de verano), la piel se le había puesto como apergaminada, pues no se le había ocurrido usar bloqueador.

En las noches, Alicia pensaba: «Está funcionando, está funcionando». Al cabo de varios meses, se dio cuenta de que cuando entraban a un salón, restaurante, cine, reunión, etc., las miradas de las mujeres no lo seguían, parecía que de pronto se hubiera vuelto invisible. «Lo logré, lo logré», se dijo alegremente. Sin embargo, después de varios días, se percató de que había ocurrido algo terrible. Sí, terrible. «¿Qué me pasa? ¿No era lo que yo quería?» Una inquietud que no terminaba de hacerse presente empezó a rondarla, a robarle el sueño, a dejarla sin fuerzas. Pasaron días, semanas, y lejos de sentirse feliz por el éxito de lo que ella llamaba su misión, se sentía deprimida y sin fuerzas. Una tarde, como una revelación, se dio cuenta de lo que pasaba, lo que pasaba es que ahora a ella no le gustaba su marido.

La fábrica de sueños

Los niños a los que esta historia se refiere no vivían en el campo, como suele suceder en muchos cuentos, sino en una gran ciudad, llena de carros, de gente, de fábricas. Sus casas no estaban en una zona residencial, sino en un suburbio sumamente pobre. Eran de ladrillo, pequeñas y llenas de incomodidades. Estos muchachos habían formado una especie de pandilla que capitaneaba Esteban, seguido por Alfredo, Nacho y «el Plomero», a quien llamaban así porque su padre tenía ese oficio. Asistían todos a una escuela cercana y, si bien no eran los más estudiosos, su ingenio y simpatía despertaban la ternura de sus maestros.

Esteban, de doce años, tenía tres hermanitos: Julián, de nueve; Patricia, de seis, y una bebita de escasos tres meses. Cuando regresaba de la escuela, ayudaba a su papá en el pequeño taller de carpintería que habían instalado a un lado de la casa. A Esteban le hubiera gustado tener un cuarto para él solo en lugar de que estuviera allí la carpintería, pero su papá le había explicado que se ahorraban el alquilar de un local. Sin embargo, cuando su papá se retiraba a descansar, Esteban se quedaba soñando en medio de los trozos de madera, pegamentos, aserrín y todas las cosas que ya formaban parte de su vida. Allí, planeaba el futuro y le gustaba dibujar proyectos de sus inventos.

Una noche, mientras su mamá preparaba la cena, Esteban le preguntó:

—Oye, mamá, yo quiero inventar algo que no exista.

—¿Cómo qué? —le preguntó su mamá.

—No sé, algo que no haya en ninguna parte del mundo y que hiciera felices a todos...

—Mira, Esteban —le dijo su madre—, es mejor que te olvides de esos inventos y te dediques más al estudio. Te pasas el día soñando y haciendo proyectos, y pierdes mucho el tiempo.

—Pero, mamá, si no dedico tiempo a mis inventos, ¿cómo voy a hacer algo que valga la pena?

—No sé —dijo la mamá—. Lo que sí te digo es que no solamente tienes que estudiar más, sino ayudar a tu padre, que trabaja todo el día

Esteban salió al pequeño patio que estaba atrás de la casa. Le había puesto pedazos de madera que ya no necesitaba su papá y, con una vieja lona, lo había techado. En ese pequeño espacio, que no podía llamarse cuarto, guardaba sus objetos más preciados: la canica que le ganó a Rodolfo, una resortera que le regaló su tío Julio en su cumpleaños, un llavero que encontró en la calle, y los papeles con sus inventos. Todas estas cosas las tenía enterradas en el piso de arena dentro de una cajita de metal. No podía dejarlas en el cuarto que compartía con sus hermanos, pues ellos cogían todas sus cosas.

Un sábado, ya que no había escuela, ayudó a su mamá y a su papá, y una vez que terminó salió en busca de sus compañeros. Tenía una idea maravillosa y necesitaba ponerse a trabajar para realizar el invento más grande jamás imaginado; se trataba nada menos que de una fábrica de sueños.

Les fue explicando a sus amigos, paso a paso, su proyecto. Empezaron a juntar el material que se necesitaba. Por un lado, el papa del Plomero» les obsequió unos tubos, el papá de Esteban algo de madera, y así cada uno fue contribuyendo con algo. Nadie debía decir nada hasta que el proyecto estuviera listo. Durante semanas, se dedicaron a trabajar con ahínco en la construcción del ansiado invento. Poco a poco, todo ese material de deshecho fue tomando forma.

Por fin, al cabo de dos meses de arduo trabajo, Esteban le anunció a su mamá:

—Ya terminamos la construcción de mi invento. Es una fábrica de sueños. Todo lo que tienes que hacer es escribir en un papel el sueño que deseas realizar, meterlo en la cajita de la fábrica que dice «solicitudes», darle vuelta a la palanca de la izquierda y ¡listo!, se vuelve realidad.

Todos se congregaron esa tarde alrededor de lo que ellos llamaban «el taller». Tenían una lista de solicitudes, de manera que todos pudieran tener acceso a la fábrica de sueños

El primero en pedir un deseo fue Nacho, quien aparte de que trabajó mucho para la construcción, había ganado el volado que echaron para decidir quién sería el primero. Lo que Nacho más deseaba era una bicicleta, ya que en las tardes ayudaba a repartir un diario vespertino y se cansaba mucho, además debía ser muy divertido tener una. Dobló con mano temblorosa el papelito, lo metió en la cajita, y dio vuelta a la palanca. Para su sorpresa y la de los demás, al cabo de varios minutos de ansiosa espera, no apareció la bicicleta, lo único que se asomaba por la ventanilla era otro papel que decía: «Para realizar tu deseo primero tienes que vender el doble de periódicos». Todos abuchearon, realmente era una tomadura de pelo.

Nacho, un poco decepcionado, pero sin perder las esperanzas, se quedó mirando el papelito. Todos se retiraron con caras compungidas y el mismo Nacho se dijo a sí mismo: «la fábrica es puro cuento».

Pasaron varias semanas y ya todos habían olvidado el incidente. Nacho había pedido más periódico para vender y ganó más dinero, dio un poco a su casa y guardó el resto sin gastar siquiera en un refresco, a pesar de que se le antojaba. «Bueno —se dijo—, la única manera de tener una bicicleta será comprándola, y eso no sé cuándo será».

Ese día había terminado de repartir el periódico y se dirigía a su casa cuando en una ventana vio un anuncio que decía: «Se vende bicicleta barata». Hizo mentalmente la cuenta de lo que había ahorrado y calculó que no le alcanzaría para nada, pero la curiosidad pudo más y tocó a la puerta. Abrió una viejecita que inmediatamente le dijo:

—Vienes a ver la bicicleta, ¿no es así?

Nacho le dijo que solo quería curiosear. La señora lo pasó a través de un jardín pequeño, pero muy bien cuidado. Llegaron a un patio techado y le dijo:

—Aquí la tienes

Era la bicicleta más maravillosa que Nacho se hubiera imaginado. Tenía varias velocidades y era de carreras, como las había visto en algunas revistas, y el color… el color era plateado con azul. Se quedó sin poder decir palabra.

—¿Qué pasa? ¿No te gusta? —le preguntó la viejita.

—Claro, es preciosa, pero debe costar mucho dinero. De todas maneras, gracias por enseñármela.

Se disponía a retirarse cuando la viejita le dijo:

—Mira, esta bicicleta la había yo comprado para un nieto mío, era para su cumpleaños y tenía mucha ilusión de dársela cuando viniera a visitarme, pero a su papá le dieron un empleo fuera del país y urgía que estuvieran allí de inmediato, de manera que nunca tuve la oportunidad de dársela. Hace poco me escribió que sus padres le habían regalado una, de manera que, como podrás ver, ya no la quiero.

—Sí, señora, lo entiendo —le dijo Nacho—, pero de todas formas es muy poco lo que tengo para lo que ha de costar esta bicicleta.

—Vamos a hacer una cosa —le dijo la viejecita—, dame lo que hayas ahorrado y lo único que te pido es que, de vez en cuando, si te sobra un poquito de dinero, me traigas unas rosquillas para que las comamos aquí en el jardín, así no me sentiré tan sola. ¿Te parece?

Nacho no podía creer en su buena suerte, le entregó sus ahorros y después de dos o tres visitas se animó a llevarse la bicicleta a su casa. Todos los amigos lo esperaban en la esquina y se quedaron maravillados cuando Nacho apareció montado en la flamante bicicleta. Su único comentario fue:

—¿Ya ven cómo sí sirve la fábrica de sueños de Esteban?

Despertar

¿Cuánto tiempo había dormido? Un mes, varios meses, un año? Realmente, no lo sabía. La recámara le pareció conocida y cuando caminó por toda la casa supo exactamente en dónde se encontraba cada pieza. Llegó a la cocina, no había nada en el refrigerador. Se calentó un poco de agua en el microondas y, como no encontró té ni café soluble, se la bebió tal cual.

—Voy a salir —se dijo—. Voy a averiguar en dónde están mis padres y hermanos. Que yo recuerde, vivíamos todos aquí. Yo iba a la universidad y mis hermanos estaban terminando secundaria y preparatoria respectivamente.

Se dirigió a la casa de junto y le costó mucho trabajo que le abrieran, pues le hicieron toda clase de preguntas. La persona atrás de la puerta se oía asustada, pero, después de insistir, abrió un poco la puerta. De inmediato, le preguntó si sabía qué había pasado con las personas de la casa vecina. Lo que le dijo la llenó de un enorme temor y de una tristeza infinita.

—Sí, claro, los Domínguez. Fíjese que se cambiaron de casa de la noche a la mañana. Parece ser que no le avisaron a nadie. Lo último que supe es que se habían ido a vivir al extranjero, pero de esto hace muchos años.

En el garaje, vio varios automóviles y tomó el que le pareció más adecuado. Las llaves estaban en el cenicero, como se acostumbraba en su casa. Con gran dificultad, logró salir, pues pasaban muchos carros a gran velocidad y ninguno se paraba. «Vaya, esto sí es nuevo». Además, tanto en las aceras de enfrente como en las calles transversales, estaban estacionados decenas de automóviles. ¿De dónde salieron? ¿A quién pertenecían?

En la chamarra que había encontrado en la recámara, halló un monedero, y se decidió a salir a comprar algo para comer. No bien había circulado unas cuadras, por una colonia que, si bien le parecía familiar, era muy diferente a lo que ella recordaba, cuando se encontró con un hombre que comía lumbre. No había calle en que no estuviera una persona con un trapo rojo indicando dónde se podía estacionar. ¿Y si no le daba dinero? Después de todo, iba a comprar algo de comer y no sabía cuánto costaban las cosas. Entró a un supermercado pequeño, pero bien surtido. Tomó una canastilla, pues no tenía mucha idea de lo que quería. Pidió cien gramos de jamón, tomó un pan de caja, y un litro de leche. Al llegar a la caja, cuando hicieron la suma, metió la mano mecánicamente en la chamarra y sacó el monedero. Lo vació en el mostrador solamente para escuchar a la cajera decir: «Son 47 pesos, le faltan 22».

Regresó a su casa preocupada, buscó por todas partes, vació cajones y bolsas que se encontraban en un clóset, pero no encontró nada. Entonces, se le ocurrió: «Voy a empeñar algo». Y, después de varias horas, encontró un pequeño alhajero. Sacó de prisa el contenido y se dirigió al Monte de Piedad. Allí, le dieron trescientos cincuenta pesos. Claro, que a ella no le interesaba empeñar precisamente, sino obtener dinero, pero se tuvo que conformar.

Regresó al supermercado y compró lo que había decidido antes. Después de comer con avidez, se quedó muy pensativa. Encontró varias fotografías viejas. Tenía que ubicarse en el tiempo. Compró el Excelsior y se enteró de que era el año 2010. ¿2010? ¿Cuántos años tenía? Solo recordaba cuando iba a la escuela en la colonia Cuauhtémoc, que era una colonia bonita. Ahora, por lo que había leído, era un lugar peligroso. Se había llenado de comercios y ni qué decir de la Zona Rosa, tan exclusiva, llena de buenos restaurantes, cafecitos, tiendas elegantes. Ella, su hermana y sus amigas, se sentaban a estudiar en las bancas del paseo de la Reforma. También recuerda cuando empezó a trabajar. Tomaba el Juárez Loreto para ir a Ejército Nacional. Siempre llevaba una pulsera de oro con un centenario que le había regalado su papá, y, con ella en la muñeca, tomaba su camión. Nunca pensó que podría ser peligroso y que se la podrían robar.

Por el periódico se enteró de que había secuestros, desempleo, corrupción y narcotráfico. Esto era nuevo para ella. De niña, solo había oído decir que los soldados eran mariguanos, pero ¿drogas de verdad? Ahora, la gente temía salir ya noche y ni qué decir de usar alguna joya. Era como tentar al diablo.

Caminó buen rato, luego tomó el primer camión que pasó para ver hasta donde llegaba. Atravesó varias colonias y por todos lados eran miles las personas que caminaban, o se bajaban de un camión, o de un taxi. Nunca había visto tantas personas en su vida, además eran todos muy feos y mal vestidos, pues, aunque algunos traían buenos tenis o chamarras con letreros en inglés, que han de haber costado mucho, todos se veían como mamarrachos. Sí, esa era la palabra.

Las mujeres no se escapaban, la mayoría eran obesas, no gorditas como ella recordaba a su nana, sino de una gordura repugnante, asquerosa. Los niños también habían cambiado. Igual que las mujeres, la mayoría eran obesos, y se sorprendió al ver que casi todos los que encontraba en el camino estaban comiendo. Sí, comiendo papitas, golosinas, panes y quién sabe cuántas cosas más. Comiendo, comiendo sin cesar, ensuciando todo lo que encontraban a su paso.

El camión seguía su ruta. Ella ya no sabía cómo se llamaban esas colonias, solo atinaba a leer los nombres de algunas calles: Insurgentes, Calle 3, División del Norte y quién sabe cuántas más. A medida que avanzaba el camión, las calles se iban haciendo más populosas, había puestos de fritangas, ropa, zapatos y otras cosas que no reconocía. Estaban por todos lados. No había calle vacía. Por donde quiera que mirara, eran puestos y puestos, como si la ciudad se hubiera convertido en un gigantesco mercado en donde no había cabida para árboles, banquetas, transeúntes, etc.

¿Dónde estaban las preciosas avenidas? ¿Y los parques y los jardines? ¿Era esta la ciudad que había admirado y amado tanto? No, no. Tiene que haber una explicación. Esto era una pesadilla de la que despertaría muy pronto. Sin embargo, después de varios días de obtener toda clase de información, se dio cuenta de que todo era real.

Esta ya no era su adorada ciudad ni su gente amable; todo era diferente pero desagradable. Su país, un país sin rumbo y, lo que es peor, sin futuro.

Se acostó pensando: «No vale la pena estar despierta».

Las olvidadas

—Mira, mamá —le dijo su hijo Enrique—, este lugar te va a gustar mucho. Tiene comedor, capilla y jardines. Vas a estar muy bien aquí

—¿Dónde está tu papá? Me dijo en la mañana que tenía una cita. No me dijo dónde ni con quién. ¿Qué estoy haciendo aquí? ¿Y mi casa? Yo quiero estar allí con tu papá.

—Eso no es posible, ya estás grande y no puedes vivir sola. A papá lo llevó mi esposa a un retiro en Cuernavaca. Pensó que era mejor que no estuviera en la misma ciudad que tú

—Mira, hijo, siempre hemos hecho nuestra vida solos, sin molestarte para nada. Hemos sido independientes y disfrutamos lo que tenemos. ¿Dónde está tu papá? Quiero ir con él.

—De momento, está en otro lugar especial para personas de su edad. No puede estar aquí contigo porque solo reciben mujeres.

Una vez que la dejó «instalada», le dio un beso y se despidió, no sin antes decir que él, su esposa y su hijo vendrían a verla a diario.

Se dejó caer en un sillón y se puso a llorar. No acababa de entender lo que había sucedido. Muchas preguntas se agolpaban en su mente, pero no había respuesta para ninguna de ellas. No se sentía con fuerzas para nada. No entendía cómo había ido a parar allí, sin embargo, recordaba con exactitud los días que precedieron a su llegada a la «estancia», como le llamaban a ese lugar que odiaba con toda su alma. En varios días no quiso bajar a tomar sus alimentos, solo bebió un poco de agua. Quería estar sola, sola como la habían dejado, pensando sin cesar qué iba a ser de su vida. Un día, oyó un golpe en la puerta, abrió con desgano y se enfrentó a una anciana (por lo menos eso le pareció a ella).

—Soy Refugio, su vecina del cuarto 201.

—¿Qué desea? No quiero ver a nadie.

—No se enoje, lo que pasa es que noté que no sale de su habitación y quise ofrecerle un poco de compañía.

—Gracias, pero no la necesito, de manera que, si me disculpa…

—Está bien, me iré. Solo quería platicar un momento con alguien. Sabe, me siento muy sola.

Se quedó pensativa, pero cerró la puerta. Al día siguiente, no queriendo parecer grosera, tocó a la puerta de su vecina.

—Vengo a disculparme, no soy una persona sin educación, pero en realidad ayer no quería ver a nadie.

—La entiendo, a mí me pasaba lo mismo, pero, ahora, me he habituado a mi rutina y a este lugar que será mi hogar hasta que vengan mis hijas por mí. Me llamo Refugio Sandoval. A sus órdenes.

—Vaya, pues mi situación es diferente. Estoy tratando de localizar a mi nieto para que resuelva este embrollo. Él de seguro va a venir por mí para llevarme con mi esposo a mi casa. Sabe, mi nieto está estudiando leyes, estoy segura de que me ayudará a salir de aquí. Siempre fuimos muy unidos y él es la persona más querida para mí en el mundo. Pero, dígame, ¿cómo es que está usted aquí?

—Yo vivía en Guadalajara, soy viuda. Tenía un departamento en el centro donde vivía con mis dos hijas, sabe, dos chicas muy preparadas, hablan tres idiomas (de eso me ocupé yo), pues pensé que en el futuro les serviría. Les llegó una oferta de trabajo en Alemania y me hicieron ver que no era conveniente que estuviera sola. Me buscaron este lugar y, por esa razón, estoy aquí. Lo único que me preocupa es que no sé dónde se quedaron todos mis documentos. Yo necesito tener mi pasaporte y mi visa listos para cuando vengan por mí. Son buenas muchachas, me mandan siempre una tarjeta cariñosa por el Día de las Madres y otra en Navidad. No se imagina cómo las extraño.

—Mire, Cuquita, una vez que localice a mi nieto, quizá la pueda ayudar a recuperar sus documentos. Voy a intentar llamarlo nuevamente hoy. Afortunadamente, tengo un teléfono celular de donde puedo llamarlo sin que el personal de aquí se entere. He llamado en varias ocasiones y pasa a su buzón, quizá no está funcionando bien su teléfono.

Esa misma tarde, trató nuevamente de llamar a Gerardo (su nieto), pero fue inútil, entonces se le ocurrió llamar directamente a la casa de su hijo. Le contestó la sirvienta, y cuál no sería su sorpresa al enterarse de que Gerardo estaba estudiando en el extranjero. Colgó el teléfono muy desanimada. Era su esperanza de salir de este lugar y regresar con su esposo. Decidió llamar a su hijo a la oficina.

—Efectivamente, mamá, Gerardo está en Canadá. Lo mandamos porque siempre tuvo ilusión de hacer una maestría. Pero, dime, ¿estás bien?

—No, no estoy bien. Quiero ir con tu padre y a mi casa. ¿Por qué estoy aquí?

—Ya te expliqué que Maricruz y yo pensamos que era lo mejor. Ya estás grande para manejar una casa y, además, allí estás muy cuidada.

—No quiero estar aquí, tienes que sacarme. Quiero ver a tu padre. ¿Adónde lo enviaron?

Mi papá está muy bien y contento en un lugar que le encontró mi esposa en Cuernavaca. Allí lo cuidan muy bien. Tú ya sabes que donde estás no reciben hombres.

—Sí, pero yo quiero ir a ver a tu papá. Dame la dirección y yo veré cómo me organizo.

—Eso no va a ser posible. Nosotros pensamos... Bueno, más bien Maricruz, que si ves a mi papá se te va a hacer más difícil la separación.

—¿Difícil? ¿Sabes de lo que estás hablando? Tenemos cuarenta años de casados y nunca nos hemos separado. Él debe estar muy preocupado por mí. ¿Quién lo va a cuidar, prepararle su desayuno como le gusta, doblar su ropa por colores, acompañarlo a ver sus programas? Yo necesito verlo, ¿me entiendes? Mi vida sin él no puede continuar. Entiéndeme y dame la dirección o llévame con él, por favor.

—Te llamaré en unos días.

En una elegante casa de Polanco

—Hoy me llamó mi mamá y la verdad no sé si hicimos bien.

—Claro que hicimos bien, tus padres ya no podían seguir en esa enorme casa lidiando con jardineros, servicio, etc. Están muy bien cuidados. Además, con la venta de su casa podemos solventar sus gastos y los estudios de Gerardo. Afortunadamente, en el caso de tu padre no son muchos, gracias a que, debido a las relaciones que tengo, lo aceptaron en ese lugar propiedad del gobierno.

—Aun así, no me siento a gusto. No me parece justo que no pueda ver a mi papá. Eran muy unidos.

—Mira, Enrique, si tu mamá va a ver a tu papá, va a hacer una escena y no va a querer separarse de él. Ahorita todas las cosas están tranquilas. Llamé a Cuernavaca y, aunque tu papá está muy deprimido y no ha querido comer, pronto se habituará a su nueva vida. No eches a perder lo que tanto esfuerzo me ha costado.

En el asilo

Mercedes estaba muy desanimada. ¿Cómo lograría salir de este lugar? Afortunadamente, tenía una cuenta de banco (que no era mucho), pero le serviría para salir y tratar de averiguar qué había pasado con su esposo. En el recibidor del asilo, les informó de que había pedido un taxi. Afortunadamente, tenía en su celular el número del sitio al que siempre llamaba. Le daría la dirección de su casa y se quedaría allí hasta que esta pesadilla hubiera pasado. En la administración, le informaron de que no tenían autorización para dejarla salir sola, que tendrían que comunicarse con su hijo. No pudo decir palabra. ¿Cómo que no podía salir? Ella necesitaba investigar todo lo relativo a los últimos meses.

Regresó a su habitación y se comunicó con su hijo:

—¿Qué pasa ahora, mamá?

—Fíjate que quise tomar un taxi y no me dejaron salir. Me dijeron que necesitaba autorización para hacerlo. Quiero que des tu permiso para que yo salga a donde quiera. En este caso, quería ir a comprar un suéter y unos guantes para cuando haga más frío. En otras ocasiones, querré salir a comprarme mis cremas o a tomar un helado con una de mis vecinas.

—De acuerdo, ahora mismo les informo de que puedes salir. Nada más ten mucho cuidado.

—Hace dos días que no la veo. ¿Está bien?

—Mire, Cuquita, resulta que mi nieto está en Canadá. Él era la única persona que hubiera podido ayudarme y sacarme de aquí. Se me olvidó pedir su dirección, aunque ahora, tan lejos, no sé qué podrá hacer. También quería que la ayudara con sus documentos; si no recibo noticias, vamos a ver qué podemos hacer nosotras.

—Mil gracias, Mercedes.

Ya dada la autorización, al día siguiente, Mercedes partió en un taxi hacia su casa, su casa adorada, que habían construido con muchos trabajos. Pidieron préstamos bancarios para obtenerla y se pasaron muchos años ahorrando en todo para poder pagarla, pero valió la pena. No era una mansión, tenía jardín, una estancia muy grande llena de luz, árboles, amplias recámaras, y, sobre todo, era su hogar. Cuál no sería su sorpresa al llegar y ver un enorme anuncio de «Se vende». Trató de entrar, pero fue inútil. Estaba cerrada con llave y la que ella cuidadosamente guardaba entre sus pañuelos no servía ya. Se sintió desconsolada, se quedó largo rato mirándola con las lágrimas saliendo como en cascada. El taxista le pregunto si quería ir a otro lado y ella se acordó de que, a unas cuadras de allí, se encontraba el bufete de abogados que le llevaba sus asuntos. Al llegar al edificio, donde se encontraban Elizondo, Gómez y asociados, se dirigió al quinto piso y pidió hablar con el licenciado Elizondo. Al cabo de unos minutos, la recibió.

—Mercedes, ¡qué gusto verla por aquí! ¿En qué le puedo ayudar?

Como pudo, con la voz entrecortada, le narró lo sucedido en la última semana. Tenía que ayudarla, quería ver a su esposo.

El licenciado no podía creer lo que oía. Tendría que comunicarse con Enrique o con Maricruz para que le informaran de lo sucedido. A continuación, se despidió de ella, no sin antes pedirle su número de celular.

El licenciado se quedó pensativo. «No me imagino qué sucedió. Enrique y Maricruz vinieron al despacho con un documento de don Alfonso dándoles amplio poder, y yo imaginé que era para asegurar a Mercedes; ahora, sin su autorización, no puedo ayudarla».

Mercedes regresó al asilo un poco más reconfortada. El licenciado tendría que ayudarla. Lo conocía desde hacía muchos años y, tanto ella como su marido, le tenían mucha confianza. Era solo una cuestión de días.

Pasaron las semanas y ella no recibía ninguna noticia de parte del licenciado. Marcó varias veces a su oficina, pero siempre estaba «en junta» o había salido a un compromiso. Lástima que no le pidió el teléfono de su casa. Intentó pedírselo a la secretaria, pero ella le dijo que no lo sabía, cosa que obviamente era mentira. El próximo fin de semana de seguro iría Enrique a verla y podría pedirle respuestas concretas.

Llegó el fin de semana, y Enrique la llamó para decirle que salía de viaje de negocios y que probablemente estaría fuera dos meses. Dos meses, ¿qué iba ella a hacer en ese tiempo? Quería ver a su marido, él llevaba una dieta especial y había estado muy bien gracias a que ella se ocupaba de que comiera bien e hiciera todos sus ejercicios. ¿Lo estarían cuidando bien? El día 17 tenía cita con el cardiólogo. ¿Lo habrán llevado a consulta? No podía más de la angustia. El tiempo estaba pasando y nada se solucionaba. Intentó llamar a su nuera, pero fue inútil, la sirvienta siempre le informaba que estaba fuera, había ido a una comida, tenía una reunión, había ido al salón, etc. Decidió llamarla en la noche, pues era la única hora en que había una posibilidad de encontrarla, pero el teléfono estaba desconectado.

Pasaron varios días y le dijo a Cuquita:

—Acompáñeme, supuestamente vamos a comprar unos dulces, pero yo tengo otros planes. Voy a pedir un taxi y, si nos preguntan en la administración, les decimos eso, que vamos por unos dulces.

Salieron del asilo, tomaron el taxi y se dirigieron a casa de Enrique. Eran las dos de la tarde y si Maricruz no estaba. Pues la esperarían hasta que llegara.

Tocaron el timbre y esperaron a que la sirvienta abriera. Era nueva, de manera que no la conocía. Ella se presentó:

—Soy la mamá del señor Enrique. Vengo con una amiga. ¿Podemos pasar?

—Qué pena, señora, pero la Sra. Maricruz no está y me tiene prohibido pasar a nadie a la casa.

—Bueno, ¿a qué hora cree usted que regrese? Daremos una vuelta por aquí y regresaremos.

—No, no. La señora salió muy temprano. Se fue con sus amigas a Acapulco y va a estar fuera toda la semana.

—¿Usted de casualidad no tiene el teléfono de Gerardo, mi nieto?

—No, señora. L e digo que soy nueva. A la otra muchacha la despidieron cuando yo entré y no estoy enterada de direcciones ni teléfonos.

—¿Conoces a la chica que despidieron?

—No, señora. Solo sé que es sobrina de la señora que trabaja a dos cuadras de aquí, en el 914.

—Gracias. Venga, Cuquita, vamos para allá.

Caminaron las dos cuadras y llegaron a la dirección que les habían indicado. Tocaron a la puerta y salió a abrirles una señora ya mayor, quien les dijo que su hija efectivamente trabajó para la familia Esquivel y que había sido despedida. De momento, estaba trabajando, pero regresaba alrededor de las seis de la tarde. Les dio la dirección donde vivían ella y su hija, y les informó que Rosaura llegaba de trabajar alrededor de las seis de la tarde y que el sábado no trabajaba. Apenas eran las 12:30, habían salido desde las diez y si no llegaban temprano al asilo, en otra ocasión no las iban a dejar salir, de manera que se regresaron para planear su regreso al día siguiente o el sábado por la mañana. El sábado en la mañana no les preguntaron a donde se dirigían, de manera que salieron en el taxi a la casa de Rosaura. Los recibió la mamá, quien amablemente las hizo pasar a su casa que, aunque modesta, estaba limpísima. De inmediato, la señora llamó a Rosaura. Mercedes la recordaba muy bien, pues, las veces que ella y su esposo habían sido invitados a casa de su hijo, era ella quien los había atendido, siempre de buen humor.

—Rosaura, vengo a verla porque quiero saber si tiene usted la dirección de donde estudia mi nieto. Me urge escribirle para preguntarle muchas cosas que me angustian.

—¡Ay, señora, qué pena! Solo sé que lo mandaron a un instituto en Canadá. Yo como que me di cuenta de las cosas que estaban sucediendo y un día comenté que si el joven ya sabía que sus abuelos se iban a ir a un asilo y lo único que me saqué fue que me corrieran. Yo no tengo su dirección, pero todo el tiempo hablaban de que el «birgman», o algo parecido, era muy bueno y muy caro.

—Muchas gracias por todo, Rosaura.

—Que tengan suerte y encuentren al joven.

—Gracias.

—Cuquita, mire, lo que tenemos que hacer es ir a un café donde haya computadoras y le pedimos ayuda al encargado.

Así lo hicieron, se dirigieron a un café-internet y le dijeron al encargado que les buscara universidades en Canadá que empezaran con B. Claro que ellas no sabían en qué parte de Canadá estaba el nieto, de manera que el muchacho tuvo que buscar en Vancouver, Québec, etc. Hasta que encontró varias que se parecían a lo que buscaban. Anotaron en un papelito los datos y le dijeron que regresarían al día siguiente para que viera en cuál de ellas se encontraba su nieto.

A la mañana siguiente se dirigieron nuevamente al café- internet y, después de casi media hora, el empleado les imprimió un papel con la dirección y teléfono de tres universidades que comenzaban con B.

Rosaura se dirigió a su habitación y allí empezó a marcar los números que le había dado el encargado del café. Después de varios intentos, logró comunicarse, pero le dijeron que las llamadas a los alumnos no estaban permitidas. Se sintió triste y desolada, pero decidió entonces escribirle. Ya que tenía la carta lista, llamó a su amiga y se dirigieron al correo. Pasaron una, dos, cuatro, cinco semanas, y no recibía ninguna respuesta. Por fin, un día, llegando de un paseo, le dijeron en la recepción que tenía correspondencia.

Tomó la carta entre sus manos y se sentó en un rincón, ávida de encontrar el consuelo de su nieto. Sin embargo, lo que leyó la dejó sin aliento: «Abu, recibí tu carta y hasta ahora te contesto porque estoy en exámenes. Hablé con mis padres y están de acuerdo en que te quedes donde estás, lo mismo que mi abuelo. Ustedes ya están grandes y necesitan un lugar tranquilo en donde no tengan preocupaciones. Te quiere, Gerardo».

No podía hablar, no podía emitir ningún sonido, parecía que se había quedado muda hasta que, después de un rato, rompió en un llanto incontrolable. Se pasó la noche llorando sin saber qué hacer. Las esperanzas que había puesto en su nieto para encontrar a su marido se habían esfumado. Ya no podía más.

Pasaron varios días, ella no quería ver a nadie, apenas probaba bocado, de repente, se acordó de su amiga Cuquita. Ella la había acompañado en todo y Mercedes no había correspondido como debía. Decidió ayudar a su amiga. Investigó que en una plaza comercial podía obtener su acta de nacimiento con solo dar la fecha y una mañana se dirigieron. En realidad, fue muy fácil y regresaron con dos actas de nacimiento. Ahora, solamente era cuestión de obtener su pasaporte.

Rosaura

Provenía de un pequeño pueblo con escasos habitantes. Su vida era dura y la pobreza la envolvía. Decidió dejar su pueblo e irse a la capital. «Allí», se dijo, encontraría un buen trabajo y, ya establecida, mandaría por su mamá.

Así fue como llegó a casa de los Esquivel. De inmediato, se hizo indispensable. Era la primera en levantarse, tener listos los desayunos, hacer las camas y todos los quehaceres de la casa, siempre con una sonrisa y buen talante. A las diez de la noche se retiraba rendida, pero con una sonrisa porque pronto podría enviar por su mamá y alquilarían un cuartito para las dos. Esta ilusión la mantenía día a día a pesar de que el trabajo iba en aumento. Los señores eran buenas personas, aunque a veces no entendía mucho lo que discutían, pero el joven Gerardo era un encanto, siempre atento y correcto. Tenía una alegría contagiosa y siempre estaba de buen humor.

Fue hacia finales del primer año de su trabajo, justo cuando ya había ahorrado suficiente para traer a su mamá, cuando todo cambió. Escuchó conversaciones acerca de los papás del señor Enrique y la insistencia de la señora Maricruz sobre mandarlos a no sé qué lugares. También escuchó que el joven Gerardo iba a ser enviado fuera a estudiar. Ella siempre fue muy discreta y nunca habló con nadie de estos temas, sin embargo, sin ninguna razón aparente, la despidieron, le dieron quince días extra de salario y eso fue todo. Nunca entendió la razón de su despido. La señora Maricruz le dijo nada más que ya no eran necesarios sus servicios y, sin embargo, al poco tiempo, habían contratado a otra persona.

Pasaron los meses, Cuquita logró obtener su pasaporte y después una visa canadiense. Ya no tenía más que esperar a que vinieran sus hijas por ella. Mercedes se cansó de tratar de encontrar a su esposo y de regresar a su casa.

Un buen día, las dos amigas se sentaron en una banca del parque a esperar, esperar lo único que les quedaba, la muerte.

El regreso

«Eres una tonta», le decían amigos y vecinos. «Gustavo no va a venir por ti. Vuelve a tu vida de antes, a tus estudios, a tu pintura, a ser nuevamente la chica alegre y disparatada».

Jimena no decía nada. Esperaba. Esperaba el momento en que Gustavo viniera por ella. Siempre estaba serena, tranquila, esperando. Pasaron los años, los comentarios de la gente habían cambiado. «Está loca, mira que seguir esperando a Gustavo, pero bueno, cada quien con sus cosas». Ella no hacía caso de los comentarios. Cada 24 de febrero cortaba flores del jardín, estrenaba un hermoso vestido y ponía la mesa esperándolo, siempre esperándolo. Pasaron veinte años.

Un día, los vecinos se sorprendieron de que no estuviera cortando flores. Se asomaron por la ventana y no vieron la mesa puesta como cada año. Al cabo de unos días, empezaron a sentirse inquietos. Buscaron al alcalde y le pidieron que enviara a una persona a abrir la casita. La encontraron muy limpia, todo en su lugar, pero Jimena no estaba por ningún lado. La buscaron atrás de la casa, en el cuartito que había arriba, en el pequeño patiecito, pero nada: era como si a Jimena se la hubiera tragado la tierra. Al cabo de un tiempo, dejaron de preocuparse pensando: «Bueno, por fin Gustavo vino a buscarla».

Las llaves

Doña Aurelia era una señora cuarentona, que tenía una buena mata de cabello negro, mismo que peinaba en un chongo. Sus facciones, aún atractivas, se hacían rígidas por el tipo de ropa que usaba. Siempre vestía de una manera sumamente conservadora y las modas iban y venían sin que ella se adaptara a estas.

De joven, había sido una muchacha alegre, con muchas amigas y relaciones, por lo cual era invitada continuamente a fiestas, le sobraban buenos pretendientes y a uno de ellos decidió unirse en matrimonio. Eliseo, que así se llamaba el pretendiente, era un estudiante de ingeniería. Se conocieron en una fiesta y, a los pocos meses, comenzaron su noviazgo, mismo que duró cuatro años entre pleitos y reconciliaciones. Tanto Aurelia como Eliseo tenían un carácter insoportable. Los dos habían sido consentidos por sus respectivas familias. A final de cuentas, Aurelia cedió un poco y después de una corta, muy corta, temporada en que los pleitos no abundaban, decidieron casarse.

—¿Qué esperabas? —le contestó su mujer—. Después de tolerar cuatro años de caras largas cuando reñía con Aurelia, me alegro de que esto suceda. Claro, que los dos tienen un carácter... Pero, en fin, allá ellos.

Llegó el día de la boda. Habían invitado a más de mil personas entre amigos y familiares. La ceremonia transcurrió de acuerdo con los cánones religiosos de la época y, después del banquete, Eliseo y Aurelia salieron de viaje de luna de miel.

Los primeros años transcurrieron con bastante tranquilidad. Eliseo se había recibido poco antes de casarse y tenía un buen empleo, además, formó una constructora con un grupo de compañeros de carrera. Como Eliseo se la pasaba trabajando la mayor parte del día, Aurelia no sabía qué hacer con su tiempo. En vista de que aún no tenían familia, y dada la educación de ella, en la cual solo se inculcó el aprendizaje de las labores domésticas, se dedicó a estas con verdadera obsesión. No había sirvienta que le durara más de dos semanas.

Diariamente, después de preguntarle en forma cariñosa a su marido: «¿Te gustó el desayuno?», «¿Ya te vas?». Esperaba ansiosa la hora en que Eliseo se marchara a trabajar para iniciar su diaria inspección por todos los rincones de la casa, buscando la menor mota de polvo que delatara que la sirvienta no cumplía con sus obligaciones. Todo tenía que estar en su sitio, limpio y ordenado. La ropa, otra de sus obsesiones, debía ser guardada de determinada manera, por colores, y si el botón de una camisa faltaba, increpaba a la servidumbre duramente y se sentía una mujer desdichada. Sin embargo, esa infelicidad le duraba poco, pues ella gozaba trabajando, ya que no solo se limitaba a dar órdenes, sino que también se daba a la tarea de pulir, encerar, abrillantar y desodorizar y un sinnúmero de acciones que le parecían de suma importancia.

Cuando a las cinco de la tarde absolutamente todo brillaba, Aurelia se sentaba un momento y recorría la estancia con ojos de águila, pero solo un momento, pues, de repente, su vista, ya entrenada para descubrir imperfecciones, encontraba un espejo ligeramente opaco y corría ansiosa por un trapo para limpiarlo. Si una amiga la llamaba por teléfono, mientras se sentaba a platicar, su mirada recorría ansiosa el recibidor en busca del polvo delator y, en caso de hallarlo, solo deseaba terminar la conversación para corregir tan grave asunto.

Después de su segundo aniversario de bodas, y después de la consabida visita médica, Aurelia le anunció a su marido durante la cena:

—Vamos a tener un niño, ¿no estás feliz?

—Por supuesto —contestó Eliseo—, es lo único que nos faltaba para estar completos y estoy muy contento.

—Imagínatelo —dijo ella—, todo vestidito de blanco, en su cuarto lleno de juguetes

Eliseo estaba realmente contento, pues, aun cuando amaba a su mujer, su casa le parecía un museo y ansiaba escuchar las risas y bullicios de los niños. Fue durante esa época en que a Aurelia le entró el furor de tejer chambras, colchas, etc., pero no tejió una, ni dos ni diez, tejió doscientas cincuenta chambras y cien cobijas. Todo en ella era obsesivo. Al cabo de nueve meses, hizo su aparición Enriquito «Quique», como lo empezaron a llamar inmediatamente amigos y familiares, y, poco después, llegó José. La casa que siempre había parecido lo que llamaban «una tacita de plata» empezó poco a poco a convertirse en un total desorden. Por más que Aurelia se afanaba, Enriquito parecía ser alérgico a la ropa blanca con la que ella había soñado vestirlo, pues en cuanto lo tenía de punta en blanco, la criatura corría al jardín y se llenaba de tierra, cortaba las flores, arrancaba las plantas y mil diabluras más.

Cuando José empezó a caminar, entre los dos se dedicaron a hacer un sinnúmero de travesuras: «Niños, eso no se toca», «Niños, la ropa sucia se deja en el canasto», «Niños, lávense las manos», etc. Total, que la pobre de Aurelia no tenía un minuto de reposo. Si antes tenía problemas con el servicio, ahora la situación había empeorado, y con razón, después de ver a los niños en acción y percatarse de que venía otro en camino (que resultaron ser gemelas y quienes, desde pequeñas, se convirtieron en la versión corregida y aumentada de sus hermanos), ahora mucho menos había quien se animara a trabajar allí. Ya no había orden en la casa, nunca se podía encontrar tal o cual cosa, pues los niños lo mismo cogían documentos, llaves, golosinas, cosas de la cocina, que rompían o escondían y acababan con todo cuanto estaba a su alcance.

Aun cuando la situación económica de la familia era buena, doña Aurelia tenía que hacer verdaderos milagros para que le alcanzara el gasto. Buscaba las ofertas del mercado, iba a las bodegas, tiendas de descuento y visitaba los almacenes, donde consideraba que podía ahorrarse unos pesos. Pero era inútil, «los niños», como ella les seguía diciendo, saqueaban la alacena, el refrigerador, y así la fruta, verdura, queso y jamó n que había comprado para la semana, desaparecían ante sus compungidos ojos en un santiamén.

Comenzó escondiendo las cosas en lugares poco comunes: el queso en el botiquín de primeros auxilios, la mermelada en el clóset de blancos, las galletas en el canasto de la ropa, pero resulta que, como siempre estaba muy apurada, cuando necesitaba las cosas, no recordaba dónde las había puesto y sucedía que, a veces, semanas o meses después, encontraba los alimentos echados a perder.

En lugar de resignarse a su situación, Aurelia se mostraba cada día más nerviosa.

—No puedo más —le dijo una noche a su marido—. Tus hijos son unas fieras. Todo lo rompen y ensucian, no encuentro nunca nada y me desespero, pues yo era el orden personificado.

—Cálmate, mujer —le dijo Eliseo—. Déjalos que disfruten. Ya crecerán y se volverán formales.

Pasaron los años y, si bien los hijos ya no rompían las cosas, tomaban prestada la ropa de sus padres. Las gemelitas empezaron por pintarse con los cosméticos de su mamá y los muchachitos tomaban las camisas y corbatas del padre.

Aurelia se había pasado varios días cavilando sobre una posible solución para poder tener orden en la casa y, por fin, una brillante idea asomó a su cerebro. Temprano mandó llamar a Chucho, el cerrajero, y le ordenó poner chapas en todo mueble, clóset, alacena, buró y ropero, y hasta se ingenió para ponerle una cadena y candado al refrigerador, pues, como eran jóvenes estudiantes, a menudo traían invitados a amigos que también saqueaban cuanta comida encontraban a su paso. Su vecina, viendo aquella nueva organización, le regaló un seguro para el teléfono, pues se usaba todo el día.

Una vez terminado el trabajo del cerrajero, este le hizo entrega de las llaves correspondientes, originales solamente, pues Aurelia no quería que hubiera copias. Feliz con su nueva idea, le comunicó a su esposo en la noche.

—Todo está bajo control y los chicos no podrán tomar nada sin mi autorización

Esta medida no le pareció a Eliseo, quien, además de hombre tranquilo, adoraba a sus hijos y no veía la necesidad de tenerlo todo guardado bajo llave. Después de todo, ¿no trabajaba él para darles gusto? P ero temiendo un drama de su mujer, optó por resignarse y no dijo más que:

—Qué bueno, mujer.

Pero, a partir de ese momento, fue cuando empezó el verdadero viacrucis de Aurelia. Si salía de su recámara, tenía que acordarse de cerrarla con llave Cuando terminaba de preparar la comida, cerraba inmediatamente la alacena, solamente para tener que abrirla de nuevo si se le había olvidado algún condimento. Así, la preparación de los alimentos se alargaba entre abiertas y cerradas de refrigerador y alacena.

Todas las llaves estaban numeradas, y ella había elaborado una lista anotando para qué servía cada una de ellas, pero eran ya tantas que tenía que estarlas probando todas en cada cerradura, pues a menudo no encontraba la lista con la descripción. Su vida se convirtió en un infierno. Cada minuto del día se la pasaba checando que tal o cual cosa estuviera cerrada con llave y abriendo y cerrando decenas de puertas. La mayoría de las cerraduras no eran sencillas, sino que había que dar vuelta a la llave cinco o seis veces, de manera que al final del día acababa agotada.

En una ocasión en que Eliseo había tenido una junta, llegó a su casa un poco más tarde que de costumbre y se encontró a Aurelia en el jardín hecha un mar de lágrimas. No había podido entrar a la casa, los hijos se habían ido de fiesta y la sirvienta había salido, tenía frío y llevaba casi siete horas fuera.

—Pero, mujer —le dijo Eliseo—, si allí tienes las llaves

—Sí —contestó ella—. Pero no sé cuál es la de la casa, y después de probarlas todas decidí darme por vencida y esperar a que alguien llegara.

Después de probarlas todas pacientemente, pues Eliseo solamente tenía llave del garaje, dieron con la llave de la casa, cosa que llevó cerca de dos horas. A pesar de lo avanzado de la noche, Eliseo se dedicó a abrir todas las chapas, cerraduras y candados y, una vez terminada esta labor, tiró las llaves al basurero. Al pasar los días, Aurelia se convenció de que no era vida la que había llevado esos últimos años. Eliseo suspiró y pensó para sí: «¿Cómo no hice esto hace muchos años?».

El pacto

Patricia y Hortensia eran amigas inseparables. Se habían conocido cinco años atrás, cuando ambas, con sus esposos, asistieron a un congreso de ingenieros. Sus respectivos esposos se conocían entre ellos y llevaban cierta amistad, pero ellas inmediatamente se identificaron una con la otra.

Compartieron muchas aventuras, como ellas les llamaban. Se iban al centro con sus joyas o algún adorno de plata y los vendían. No se sabe si a buen precio o no, pero ellas se sentían felices por tener un dinero extra. El esposo de Patricia, que en una época estuvo boyante, había hecho algunas inversiones equivocadas y, a últimas fechas, estaban en una situación económica muy precaria.

Hortensia tenía un buen nivel de vida, aunque, no sabe por qué, nunca tenía suficiente dinero para terminar la quincena, y no es que se comprara cosas, sencillamente no alcanzaba. Había hablado en reiteradas ocasiones con Rogelio, su marido, pero él le decía que no era organizada y que tenía que ahorrar. Esto le había ocasionado un sinfín de disgustos y, con tal de evitarlos, había descubierto que podía vender cosas.

Un día en que estaban tomando un pastel de queso con café, a la vuelta de donde habían ido a vender unas cosas de plata, se dijeron que si algún día una de ellas tenía una enfermedad terminal y estuviera sufriendo mucho, la otra debía dar fin a ese sufrimiento. Era un pacto y ninguna debía fallar en caso de ser necesario.

Pasaron los años y ya no se acordaban del pacto hecho. Patricia tuvo que ser internada de urgencia en un hospital del Seguro Social, supuestamente para una cosa sencilla del estómago. Sin embargo, las cosas se empezaron a complicar y a los pocos días estaba llena de tubos y sondas. Apenas tenía fuerzas, ya la habían operado tres veces y no se aliviaba. De pronto abrió los ojos para ver a su entrañable amiga y, con muchos trabajos, le recordó el pacto que habían hecho unos años atrás.

Hortensia no podía de la sorpresa. No era posible que Patricia recordara eso. No debía ser, era una broma de mal gusto, no era para tomarse en serio, pero Patricia le suplicó que no faltara a la promesa que habían hecho. Salió del hospital destrozada. No supo cómo llegó a su casa ni lo que hizo a continuación. Pasó la noche sin dormir, dándole vueltas al asunto. Se puso a pensar que, si ella estuviera en la misma situación, igual le rogaría a su amiga que cumpliera. Por un lado, ¿quién era ella para terminar con una vida? Solo Dios podía hacerlo. Qué soberbia la suya. Por el otro, veía a su amiga sufrir dolores espantosos y su mirada suplicante le atravesaba el alma. Debía tomar una decisión. Al día siguiente, se presentaría en el hospital y…

DE AMOR Y DESAMOR

Si me yergo, tu mano detiene
con firmeza la flor que renace.
Y si inclino, humilde la frente,
con tu gesto el coraje deshace.
No hay futuro seguro.
No hay sueños pendientes.
Y la vida sigue
dejándome inerte.

Eres
como gota constante, funesta.
Como herida que sangra y no cierra.
Es tu sombra continua a mi lado
que me corta las alas, siniestra,
y me impide volar a otro lado.

No es tu amor acicate,
mentira
que me eleve hacia cosas sublimes.
Ni es tampoco el rencor ni tu ira,
ni tus brazos por fuertes y firmes.
Es tu amor una fuerza nefasta
que me ahoga, me anula, me aplasta.

Cuántas cadenas me tienen atada.
Los brazos me ciñen, las voces me llaman.
Quisiera perderme, mis sueños se acaban.
La noche me cubre, la llama se apaga.

¿Por qué no es posible volar con mis alas?
Sentir que soy libre, que tengo esperanzas.
Mis días y mis noches se alargan, se alargan.
Y, al final de todo, no me queda nada.

EL VIEJO

Va caminando despacio.
La espalda torcida, débil la mirada.
Detiene sus pasos
como si esperara
a algún amigo que lo encaminara.
Pero sigue solo.
La carga es pesada.
El viento y el frío
le hielan el alma.

De pronto se escucha una voz
que le dice:
No estarás solo,
espera y aguarda,
que allá en lo infinito
está tu morada.

A MI MADRE

Te fuiste quedito, sin decirme nada.
Y yo que esperaba tener un consuelo,
llorar en tu almohada,
sentir tu calor, tu mirada,
peinar tus cabellos de color de plata.

Lecturas recomendadas

Imaginario (Daniel Osorio Olave)

Los omisos del encierro (Daniel Lanza)

La casa de la Reina de Bastos (Mónica Peralta Delgado)

El último día de mi reinado (Manuel Gerardo Sánchez)

Made in the USA
Columbia, SC
19 September 2023